欧先生的大提琴

文:〔美〕简·卡特勒　图:〔美〕格里·库奇　翻 译:熊苗谷

河北教育出版社

图书在版编目（CIP）数据

欧先生的大提琴／（美）卡特勒，（美）库奇编绘；熊苗谷译.
—石家庄：河北教育出版社，2010.2
（启发精选世界优秀畅销绘本）
ISBN 978-7-5434-7366-9
Ⅰ.欧… Ⅱ.①卡… ②库… ③熊… Ⅲ.图画故事－美国－现代 Ⅳ.I712.85
中国版本图书馆CIP数据核字（2009）第119392号

冀图登字：03-2009-003
The Cello Of Mr. O
Text copyright © 1999 by Jane Cutler
Illustrations copyright © 1999 by Greg Couch
Simplified Chinese translation copyright © 2010 by Hebei Education Press
The edition published by arrangement with Dutton Children's Books,
a division of Penguin Young Readers Group, a member of Penguin Group (USA) Inc.
through Bardon-Chinese Media Agency
All rights reserved.
本简体字版 © 2010由台湾麦克股份有限公司授权出版发行

欧先生的大提琴

编辑顾问：余治莹

译文顾问：王　林

责任编辑：颜　达　马海霞

策划：北京启发世纪图书有限责任公司
　　　台湾麦克股份有限公司

出版：河北教育出版社 www.hbep.com
　　　（石家庄市联盟路705号 050061）

印刷：北京盛通印刷股份有限公司

发行：北京启发世纪图书有限责任公司
　　　www.7jia8.com 010-51690768

开本：889×1194mm 1/16

印张：2

版次：2010年2月第1版

印次：2010年2月第1次印刷

书号：ISBN 978-7-5434-7366-9

定价：29.80元

如有印装质量问题请与印刷厂联系（010-67887676）

献给布里奇特

——简·卡特勒

献给我亲爱的罗宾

——格里·库奇

我们被包围了，经受着敌人的攻击。

我爸爸去打仗了。大部分小孩的爸爸、哥哥——甚至有些人的爷爷，都去打仗了。只有我们留了下来，小孩和妇女，老人和病人。我们想尽一切办法活下去。

我害怕，几乎每时每刻都害怕。

夜里，透过窗户，我看到照明弹在天上拖出白色的尾巴，迫击炮轰闪着金光，我就假装自己看到了一颗颗流星和陨石。

　　整个城市的街道上到处是砖块、尘土和碎玻璃。我们已经没有取暖用的燃油了。去年冬天，我们裹着衣服紧挨着厨房的金属薄板炉睡觉——这个炉子是爸爸在走之前做的。

　　木柴也烧完了。今年冬天来临前，要是情况没有改善，我们就得烧家具、烧书来取暖。

　　食物总是不够，还缺水。我们用碗和水桶接雨水，我们还去物资救济中心领水。

　　装了水的容器很重，有些人装在购物车里，有些人用上了独轮手推车。冬天，还有很多人使用雪橇。上星期我和妈妈看见一位女士推着轮椅运水。

　　每个星期三下午四点，救济车会来，就停在我们广场边的那条街上。大家就去排队领肥皂、食用油、鱼罐头，还有面粉。

　　一切都跟从前大不一样了：商店、汽车、公寓楼都被炸毁了，学校关闭了，总是没电，煤气也彻底断了，连电话也没法用。

　　很多人都搬走了。

有些人没走，因为不知道去哪儿，比如妈妈的朋友玛丽亚。而有些人已经下定决心留下来，不管发生什么事，比如我的妈妈。

　　如果爸爸哪天回来，家里却空空荡荡的没有一个人……妈妈决不能忍受这种事情发生。她要我们大家都留下来。

　　妈妈叹了口气说："这样的事情，历史上不是头一次发生了。"

　　也许，这种事情在历史上并不稀奇。不过，对我来说可是头一回啊！

　　几乎每时每刻，我都很愤怒。

　　我和我的朋友们不敢离家太远，平常就在我们的公寓大楼里，坐在楼梯底下的角落里打发时间。我们打牌、玩猜字游戏、读书、画画、聊天。我们还想象自己吃各种各样的好东西。

　　有时候，我们连一分钟也坐不住。我们在走廊里跑来跑去，嘻嘻哈哈，发出各种声音。

　　这时，欧先生就会猛地打开他家的门，冲我们大喊："安静！你们这些小孩！"好像小孩子是什么坏东西。

　　每个星期三下午四点，救济车开过来的时候，大家都会到街上来。

　　那么多人一起聚在外面，简直就像开派对。

　　欧先生也排在队伍里。

　　可是他从来不跟别人聊天，他只是等着，连看也不看我们一眼。

"一个思想家。"妈妈对着他的背影点点头,轻轻地说。

"一个思想家?"妈妈的朋友玛丽亚也这样说,不过带着嘲弄的口气。

玛丽亚不同意妈妈的看法,我也不同意。

欧先生不是思想家,他只是不太友善。

我们小孩儿都不喜欢欧先生。只要有谁找到一个纸袋子，我们就把它吹满气，跑到欧先生家门口猛一下踩破，声音就像炸弹爆炸一样。

我们边跑边笑，想象着欧先生被吓了一大跳的样子。

除了出去排队领东西，欧先生就在家里拉他的大提琴。

　　那是一把精致的大提琴，算得上是世界上最好的大提琴了。欧先生的大提琴的故事，都是爸爸告诉我的。爸爸也很爱音乐，他能用口琴吹出轻柔的歌和欢快的曲子。

　　"那是一把了不起的大提琴，琴面和琴背是用德国白影枫木做的，还要用法国生产的专用上光剂手工打磨出光泽。"爸爸说，"琴颈用的是洪都拉斯的桃花心木，指板用的黑檀木大概是斯里兰卡出产的。"

　　"大提琴的弓，是用一种巴西软木做的，一头还嵌着非洲象牙。"爸爸继续说，"全世界的人共同合作，才能制作出欧先生的大提琴。"

　　爸爸还告诉我欧先生的故事："欧先生年轻的时候，曾经去世界各地巡回演出。在富丽堂皇的音乐厅里，对着成百上千的观众演奏大提琴。演奏结束，观众会不停地喝彩，还把鲜花抛到舞台上献给他。"

　　要是爸爸知道了纸袋子的事情，他一定会生气的。

　　可是爸爸在很远很远的山区打仗。他带走了他的口琴和所有保暖的衣服。我们不知道什么时候才能再见到他。

秋天里一个无聊的星期三下午四点，我和我的朋友埃莲娜在楼梯底下玩抛接石子的游戏。我们听到救济车轰隆隆地开过来，可是我们懒得动了。这是唯一的一次，我们没有跑出去和大家一起排队。

　　我们听见许多脚步声。大家离开公寓，走出大楼。

　　我们听见轻轻的说话声，还有笑声。

　　接着我们听到火箭弹爆炸的巨响。

救济车被炸毁了。有些我们认识的人受了重伤。

现在，虽然我们清理了碎砖瓦，平整了路面，可是救济物资再也不会送过来了。

有人告诉我们，这是因为那样我们很容易成为袭击的目标。

现在，我们自己得走好几公里去领东西。不会再有什么事，能让每个星期哪怕有一天，大家觉得好过一点。

遭火箭弹袭击之后的那个星期三，下午四点整，欧先生居然出现了。他穿着礼服，带着他的大提琴和一把折叠椅。

他直接走到广场中央，每个人都能看到他。

他支好折叠椅。

取出大提琴。

调紧马尾弓，涂上松香。

然后，做了一个深呼吸。

他开始拉琴。

"是巴赫的曲子。"妈妈说。我看到她的脸上放出光彩。我们听着这首复杂的曲子，那些音符充满力量，让人安心。

我们的欧先生啊，他的演奏让人难以形容！他就像坐在富丽堂皇的音乐厅里，正对着观众演奏，这些观众马上就会大声喝彩，把鲜花抛向舞台。他好像不是在一座被包围的城市里，不是孤零零地一个人坐在一个废弃了的广场中央——这里甚至连救济车也不会来了。

"他们会杀了他的！"玛丽亚害怕地喊道。

"他们用不着费力去杀一个拉琴的老人。"妈妈说。

我不像妈妈那样有把握。

因为大提琴的曲调让我们不那么烦躁了，大提琴家的勇气也让我们不那么害怕了。

要是他们猜到这些，他们绝对会让琴声中止的。这琴声就像救济车带给我们的东西一样，能支撑我们活下去。

欧先生不单单在星期三演奏。每天下午四点，他和他的大提琴就会出现在广场中央。

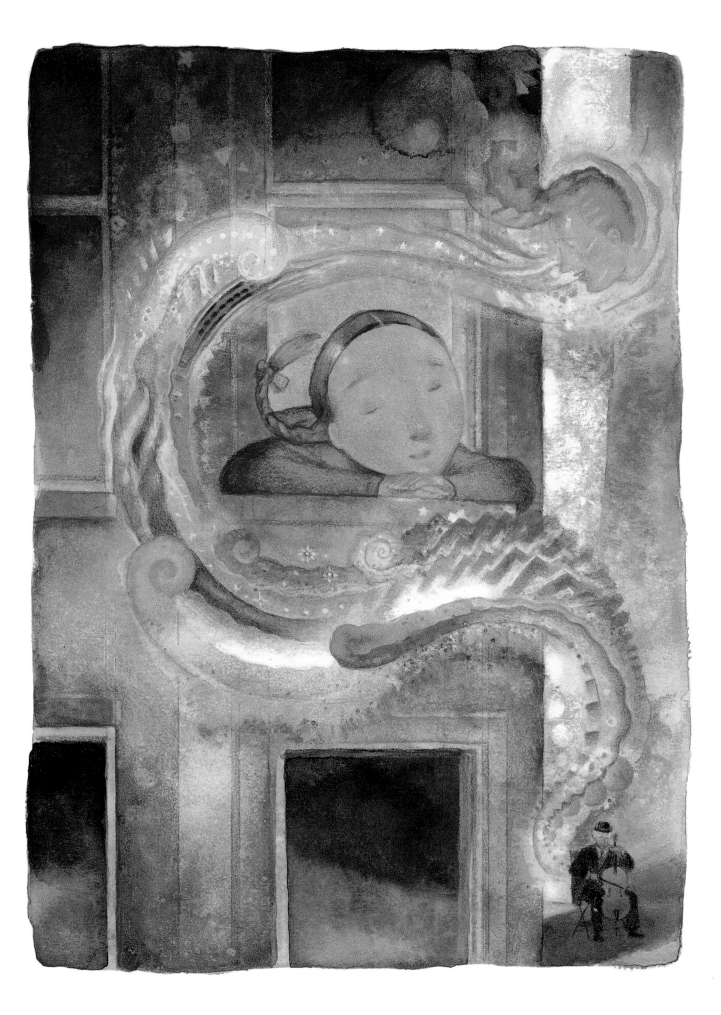

　　有一天，刚刚演奏了一会儿，欧先生的腿突然抽筋了。他把大提琴靠在椅子上，一瘸一拐地走到一边，晃晃腿来放松一下。

　　突然，我们听到一连串弹药爆炸的声音。

　　烟雾顿时在广场上弥漫开来。

　　黑烟渐渐散去后，我们发现大提琴家没有受伤。可是，他的大提琴成了一堆碎木片和一团破琴弦。

　　现在，什么东西来支撑我们活下去？我很想知道。

第二天，我恰好找到了一只棕色的纸袋。它很小，皱巴巴的。我尽力把它抚平，然后把它放到爸爸沉重的字典下面，压了整整一个晚上。

早上，我从存放蜡笔的香烟盒里找出最好的蜡笔。虽然大部分都是短短的蜡笔头，不过还是有各种各样的颜色。

我很小心地在皱皱的纸袋上画着。我画了欧先生穿着黑色礼服坐在椅子上拉琴，许多鲜艳的花朵落在他的周围。

画完以后，我拿着纸袋，踮着脚走到欧先生家门口，把耳朵贴在门上听，里面很安静，我小心翼翼地把纸袋从门缝底下塞进去，尽量不发出一点声音，然后我跑开了。

令所有人都大吃一惊的是，那天下午刚到四点，欧先生又带着折叠椅走出了公寓大楼。看到我在窗口，他对我鞠了一躬，露出微笑。

接着，从外衣口袋里，他抽出一个明晃晃的小东西——是一把口琴！

从那以后，每天都有一个小时，欧先生会坐在广场上吹口琴。

那轻轻的口琴声又忧伤又好听，和之前大提琴厚重的音色很不一样。

"还是巴赫的曲子，毫无疑问。"妈妈说。

这琴声让我们感到快乐。

还有，那个吹口琴的人，他的勇气让我们不再那么害怕了。